국립중앙도서관 출판시도서목록(CIP)

꿈을 이룬 콩이 / 글: 마곳 선더랜드 ; 그림: 니키 암스트롱 ;
번역: 이재훈 외.
서울 : 한국심리치료연구소, 2007
p. ; cm

원서명: A pea called Mildred
원저자명: Sunderland, Margot
참고문헌 수록
ISBN 978-89-87279-57-2 74180
ISBN 978-89-87279-51-0(전 19권)

183.2-KDC4 CIP2007002721

꿈을 이룬 콩이

발행일 2007년 9월 15일
지은이 마곳 선더랜드와 니키 암스트롱
옮긴이 이재훈 외
펴낸곳 한국심리치료연구소
등록 제 22-1005호(1996년 5월 13일)
주소 서울시 종로구 적선동 156 (광화문플래티넘 918호)
Tel 730-2537, 2538 Fax 730-2539
http://www.orips.net E mail: orips@orips.net

ISBN 89- 87279-57-X 74180
ISBN 89- 87279-51-0 74180(전 19권)

꿈을 이룬 콩이

글
마곳 선더랜드

그림
니키 암스트롱

번역
편집부

한국심리치료연구소

콩이라는 이름의 완두콩이 있었어요. 콩이는 수없이 많은
다른 완두콩들처럼 콩깍지 속에서 태어났어요.

그러나 콩이는 수없이 많은 다른 완두콩들 같지 않았어요.

콩이는 자신이 완두콩이라는 것을 깨달았을 때 매우 불행했어요. 콩이는 보통 완두콩과는 다른 멋진 삶을 살고 싶었어요.

다 자라고 나면 언젠가는 밥속의 완두콩이 되든가, 생선요리에 사용되든가, 값싼 저녁식사 메뉴가 될 것이라는 말을 듣자, 콩이는 더욱 슬퍼졌어요. 콩이는 또한 콩기름과 콩으로 만든 못생긴 메주에 관한 이야기도 들었죠. 콩이는 정말 그런 것이 되고 싶지는 않았어요.

사실 콩이는 꿈이 아주 아주 많았어요 . . .

. . . 완두콩으로 살면서 아주 멋지고 신나는 일들을 할 거라는 꿈이요.

그러나 콩이가 자신의 꿈을 아빠에게 말했을 때, 아빠는 잘 들어주기는 했지만 “콩이야, 안타깝게도 완두콩은 아무 것도 할 수가 없단다. 우린 그저 완두콩일 뿐이야”라고 대답했어요.

그래서 콩이는 자기의 꿈들에게 말했어요. "얘들아, 내게서 떠나가렴. 나는 너희들에게 아무런 소용이 없단다. 나는 단지 완두콩일 뿐이야." 콩이의 꿈들은 매우 슬퍼졌어요. 그래서 꿈들은 콩이가 자신들을 다시 필요로 할 때까지 조용히 물러나 있기로 했어요.

그러던 어느 날, 콩이는 빨간 색 트럭에 실리게 되었어요. 그 트럭은 슈퍼마켓을 향해 가고 있었어요. 그때 친구인 초록이가 말했어요, "우리는 곧 샐러드나 수프가 되고 말 거야."

콩이는 샐러드에 대해 들어 본 적이 있었어요. 축축한 상치에 둘러싸여 있거나, 돌처럼 단단한 빨간 무한테 이리저리 치인다고 생각하니 도저히 참을 수가 없었어요.

“안 돼! 안 돼!” 콩이는 스스로에게 말했어요. “나는 결코 망가질 수 없어!" 그래서 콩이는 트럭이 근사한 정원이 있는 예쁜 집을 지나갈 때까지 기다렸어요. 아무도 보지 않을 때, 콩이는 트럭에서 뛰어내려 잔디 위로 떨어졌어요. 야호! 자유를 얻은 콩이는 몹시 흥분이 되었어요.

그러나 그때 콩이는 한없이 외로워지기 시작했어요. 콩이가 트럭 위에 있을 때에는 적어도 어떤 것에 속해 있었지요. 샐러드나, 수프나, 생선요리나, 저녁식사의 한 부분으로 말이에요. 콩이는 정원에 홀로 있으면서 어떤 것에도 속해 있지 않다는 것이 갑자기 두렵게 느껴졌어요. "이제 끝이야. 아마 곧 달팽이들이 나타나 나를 잡아먹을 거야"라고 말하면서 모든 것을 포기하려는 순간, 뭔가 환한 것이 눈에 띄었어요.

“안녕!” 예쁜 꽃들이 콩이에게 말을 걸었어요. 콩이가 “안녕, 너희들은 누구니?” 하고 묻자, 그들은 “우리는 제비콩이야” 하고 대답했어요. “어떻게 그럴 수가 있지?” 콩이가 물었어요. “나는 완두콩이야, 우리 완두콩들은 모두 작고 둥글고 초록색이거든. 아무리 많아도 다 똑 같아. 그런데 너희들은 색깔도 생김새도 다 다르네!”

꽃들은 웃으면서 말했어요. "맞아, 우리 제비콩들은 모두 색깔과 생김새가 달라. 하지만 너희 완두콩들도 겉모습은 똑같아도 속모습은 저마다 다를 수 있어." 콩이는 그 말을 곰곰이 생각해 보았어요. 그리고 갑자기 자신의 꿈들이 몹시 그리워졌어요. 콩이는 그들을 되찾아오고 싶었어요. 그러기 위해서는 먼저 그들을 찾아야 했어요.

그러자 얼마 되지 않아 콩이의 가장 멋진 꿈이 튀어나왔어요. 그것은 찻집을 여는 것이었어요. 그러나 찻집 꿈이 나타나자마자 아빠의 목소리가 들렸어요. "완두콩은 찻집을 열 수 없어. 완두콩은 완두콩일 뿐이야."

그때 엎친 데 덮친 격으로, 콩이의 마음속에 나쁜 생각이 고개를 들기 시작했어요. 그것은 자신이 생선요리나 감자튀김에 사용될지도 모른다는 생각이었어요. 콩이는 매우 우울해졌어요.

그러나 그때 어떤 일이 일어났어요! 콩이는 갑자기, 겉모습은 똑같더라도 속모습은 다를 수 있다고 했던 제비콩의 말이 기억났어요. 그래서 콩이는 풀밭 위에서 발견한 커다란 크레용 상자와 종이를 가져다가 자신의 꿈을 그리기 시작했어요. 콩이는 분홍과 노랑 줄무늬로 된 벽이 있는 작고 예쁜 찻집과 슬플 때면 노래를 불러주는 테이블을 그렸어요.

그리고 누구나 마음대로 가져갈 수 있는 크리스마스 막대과자와 젤리와 사탕을 그렸어요. 콩이가 좋아하는 것들이었거든요. 콩이는 맛있는 것으로 가득한 메뉴를 그렸어요. 하지만 완두콩 수프와 콩밥과 콩조림은 그리지 않았어요. 그러고 나서 찻집 정원 안에 점프놀이 기구와 말하는 마술 비눗방울들이 있는 커다란 수영장을 그렸어요.

마침 그 예쁜 집에 살고 있는 아저씨에게 무언가 좋은 사업에 투자할 돈이 생겼어요. 잔디를 깎으러 나온 아저씨는 콩이의 꿈 그림을 보았어요. 그는 자신이 보았던 어떤 것보다도 아름다운 찻집이라고 말했어요. 그리고 콩이에게 만약 좋은 건물을 찾는다면, 찻집을 열 수 있도록 도와주겠다고 말했어요.

건물을 보러 다니던 콩이는 마침내 강가에 있는 멋진 건물을 찾아냈어요. 그리고 자신의 찻집을 열었어요.

개업식에 온 아이들은 모두 노래하는 테이블과 점프놀이 기구를 좋아했어요. 그리고 말하는 마술 비눗방울이 있는 수영장을 좋아했어요.

굉장히 많은 사람들이 찾아왔어요. 왜냐하면 완두콩이 찻집을 연 것은 처음 있는 일이었으니까요. 그들은 모두 크리스마스 막대과자와 젤리와 사탕을 마음껏 즐겼어요(약간 배가 아팠던 어른들 몇 명만 빼고요).

그때 콩이는 자신이 완두콩인 것이, 꿈이 많은 완두콩인 것이
너무나 기뻤어요.
꿈을 이룬 완두콩인 것이 . . .

. . . 그리고 감히 다른 완두콩일 수 있었던 것이.